El colegio más raro del mundo

© Del texto: Pablo Aranda, 2014
© De las ilustraciones: Esther Gómez Madrid, 2014
© De esta edición: Grupo Anaya, S. A., 2014
Juan Ignacio Luca de Tena, 15. 28027 Madrid
www.anayainfantilyjuvenil.com
e-mail: anayainfantilyjuvenil@anaya.es

1.ª edición, abril 2014
9.ª edición, septiembre 2018

Diseño: Manuel Estrada

ISBN: 978-84-678-6132-7
Depósito legal: M-5170-2014

Impreso en España - Printed in Spain

Las normas ortográficas seguidas son las establecidas por la Real Academia
Española en la *Ortografía de la lengua española*, publicada en 2010.

Aranda, Pablo
El colegio más raro del mundo / Pablo Aranda ; ilustraciones
de Esther Gómez Madrid. — Madrid : Anaya, 2014
184 p. : il. c. ; 20 cm. — (Sopa de Libros ; 166)
ISBN 978-84-678-6132-7
1. Humor. 2. Familia.
I. Gómez Madrid, Esther , il.
087.5: 821.134.2-3

SOPA DE LIBROS

Pablo Aranda

El colegio más raro del mundo

Ilustraciones
de Esther Gómez Madrid

ANAYA

1
LEE SE DICE LI

Dice Lee que mi colegio es el colegio más raro del mundo. Lee se llama Li. Bueno, Lee se llama Lee, pero se pronuncia «li». Así, cuando le decimos «Li lee», suena mejor que «Lee lee», que parece como si él no quisiese leer y la seño tuviera que repetírselo. A partir de ahora, cuando escriba Lee con mayúscula, hay que pronunciarlo «li». Lee es de Topeka, una ciudad de Kansas. Kansas se pronuncia igual que se escribe, porque si no sería cansado. Kansas está en los Estados Unidos, un país que yo he visto muchas veces, pero solo en las películas. En los Estados Unidos hay edificios altísimos, rascacielos, y muchos coches de Policía. Desde que vino

Lee, cada vez que veo una película americana yo busco entre la gente que camina por las aceras por si lo veo, pero nunca lo veo. A lo mejor las películas las hacen por la mañana y entonces Lee está en el colegio. A mí me encantaría salir en una película, pero que no sea de risa, porque si tengo que reírme mucho rato me duele la barriga. De miedo tampoco, porque después tengo pesadillas y quiero irme a la cama de mi padre y mi madre pero me da miedo cruzar el pasillo oscuro, que por la noche me parece lleno de peligros, y, además, a veces, hay otra gente en la cama de mi padre y mi madre, y me da un poco de vergüenza. Esto es raro y no es fácil de entender (lo de que pueda haber otra gente en la cama de mis padres), pero en seguida lo explico. Todo es culpa de mi cole, por eso dice Lee que no es un colegio normal.

Una película de aventuras tampoco, porque si me persiguen seguro que me cogen. Yo es que corro muy poco. No me importa correr poco, porque para que

haya niños que corran mucho tiene que haber otros que corran poco, ¿no? Si todos corriésemos igual nadie correría mucho ni poco, simplemente todos correrían. Un rollo, vamos. Correr mucho, además, cansa.

2
EL COLE TELE

Mi colegio es la Tecno Escuela de Lenguas Extranjeras, pero todo el mundo la conoce por sus siglas: TELE. A veces la gente se cree que estoy de broma cuando me preguntan dónde estudio y yo respondo que en la TELE. Sería divertido estudiar en la tele y hablar con los actores y probar las comidas de los anuncios, pero no sé qué pasaría si alguien cambiase de canal... ¿Habría que esperar sentados hasta que pusiesen otra vez el nuestro?, ¿y qué pasaría si te cansas de estar en la tele?, ¿hay un botón de *pause* también en la parte de dentro, al otro lado de la pantalla, para pulsarlo y poder salir? A lo mejor alguna vez alguien pulsa el botón de *pause* desde dentro de la tele y nos quedamos quietos, pero luego no nos acordamos.

En la TELE, mi cole, nos enseñan a hablar inglés y francés, por eso sé que Lee se dice «li» y que *car* es «coche». «Dibujos animados» se dice *cartoon*, y «alfombra», *carpet*. *Pet* solo es «mascota». Nosotros tenemos un perro y me gusta echarme encima de él como si fuera una alfombra, por eso a mi perro le digo *carpet*, pero su nombre es otro; aunque a veces paso unos cuantos días sin verlo, todo por culpa de la TELE, o sea: el cole. Como *car* es «coche» y *pet* es «mascota», *carpet* debería ser un «coche mascota». En realidad algunas veces el coche de mi familia es como una mascota, porque lo sacamos de paseo, le echamos gasolina (su comida), lo lavamos y mi padre siempre lo mira con detenimiento para comprobar que no tiene nuevos rasguños.

—Es imposible que tenga otro arañazo —dijo mi madre el otro día.

—¿Por qué? —preguntó mi padre.

—Porque no cabe ninguno más, está más rayado que una cebra.

Nuestro coche es un coche un poco viejo.

—Podrías preocuparte menos de las rayas y echarle de vez en cuando gasolina, que siempre me toca a mí —siguió protestando mi madre.

—Es que se me olvida —se defendió mi padre.

En el cole hay muchos estudiantes extranjeros, como Lee, pero no todos se llaman Lee. Al *teacher* Bermúdez, que vigila los recreos, le encantaría que todos se llamasen Lee, así cuando terminase el recreo gritaría:

—Lee, a clase.

Y todos irían a clase.

Algunos extranjeros tienen un nombre que empieza por «car», pero ninguno se llama *car* ni *carpet*. ¿Conocéis a alguna niña que se llame Alfombra o a un niño que se llame Coche? Pues eso. Sí hay una Carol y una Carrie. Carrie se llama de apellido Toe, y todos le dicen «Carrito», pero a ella no le molesta. Yo he tenido mala suerte con mi nombre, porque me llamo Fede Arjona Torres: las iniciales son FAT, que significa «gordo» en inglés, y da la casualidad de que yo estoy un poco gordo, así que me dicen Fat y encima no me puedo enfadar porque es doblemente verdad. Podría ser peor: ¿a que no sabéis cómo le dicen a Carlos Antonio Cortés Alonso?

3
MI COLEGIO

Bueno, quería hablaros de la TELE, mi cole. Hace años, cuando yo estaba en Educación Infantil y quería ser pirata, no veas la que se liaba todos los días en la puerta del cole cuando los padres y las madres aparecían cada uno en un coche para recoger a sus hijos. Unos aparcaban en la acera, otros en doble fila, otros detenían el coche directamente en la calle al ver a su hijo y abrían la puerta para que se subiese. Imaginaos la que se formaba. Una caravana impresionante. Me gusta la palabra «caravana» porque empieza por «car» y entonces ya sabes que se refiere a algo de los coches. Mi padre algunas veces se enfada mientras conduce y se le escapan palabrotas. La única palabrota que deberían poder decir los conductores es «caramba», porque empieza por «car» y no es una palabrota gorda.

—No digas palabrotas —le regaña mi madre cuando se le escapa alguna—. Pareces tonto.

Pero «tonto» también es otra palabrota, aunque no es muy gorda, pero si se la

dicen a tu padre crece; aunque, claro, como la que lo dice es tu madre también disminuye un poco y al final se queda en palabrota no gorda.

Algunas veces venía la Policía a poner multas y hablaba con la directora del colegio y la directora del colegio convocó una reunión para todos los padres y madres en el salón de actos y dijo que había que encontrar una solución. Fue entonces cuando a mi padre se le ocurrió la idea de «la gran familia» y al decirla en voz alta todos empezaron a reírse y mi madre le susurró que parecía tonto, pero, cuando dejaron de reír, mi padre siguió hablando y fue convenciéndolos a todos.

—A lo mejor no lo eres —le dijo mi madre esa noche mientras cenábamos, orgullosa de su marido.

—¿Que no soy qué?

—Tonto. Lo pareces, pero a lo mejor no lo eres.

4

LA GRAN FAMILIA

En la página web del cole aparece el nombre de la idea de mi padre en inglés: *The big family*. Blanca estuvo todo un recreo llorando porque creyó que si pinchaba en el enlace de *The big family* aparecerían fotos de ella y de sus hermanos, pero no. Es que Blanca se llama Blanca Iglesias Gómez, o sea: BIG, y todos la llamamos Big, y pensó que era un enlace sobre su familia, la familia de Big, que en inglés significa «grande», aunque es la más baja de la clase. Blanca es muy bajita, pero juega muy bien al baloncesto. Yo le dije que, si quería, esa tarde podríamos hacer los deberes juntos en su casa y cuando acabáramos podríamos ver las fotos de sus últimas vacaciones, para que no se sintiera triste, y me dijo «Vale» y dejó de llorar.

—Bueno, pero antes merendamos —añadí.

—Tú siempre pensando en comer, Fat —dijo riendo.

—Sí, es que me gusta mucho comer, Big.

En la reunión del cole mi padre pidió la palabra y se puso de pie:

—*We have a problem...* —empezó a gritar.

La directora quiere que se hable siempre en inglés para dar ejemplo a los estudiantes. Pero su pronunciación era tan españolamente española que la directora le interrumpió:

—Disculpe, señor Arjona, pero vamos a hacer una excepción y le permitimos que se exprese en español.

Mi padre pensó que lo decía como muestra de reconocimiento por su buena idea, pero en realidad era porque ella no le entendía bien.

Cuando mi padre tenía mi edad quiso hacer un curso en Estados Unidos, pero como mis abuelos no tenían mucho dinero, en vez de apuntarlo a un curso de nueve meses en Estados Unidos, le pagaron uno de una semana en Gibraltar. A mí no me importa que mi padre no pronuncie bien el inglés, yo le quiero en todos los idiomas.

5

THE BIG FAMILY

Pero, a lo que iba, *The big family*. Es un poco complicado de explicar y voy a copiar lo que dice la web del cole:

> The big family *es un proyecto de rotación familiar por el que cada niño y niña de la TELE será recogido y atendido por cualquier familia que tenga hijos en el colegio, siguiendo un riguroso orden de llegada.*

Dicho así no se entiende bien, voy a intentar explicarlo con mis palabras: si un señor llega a recoger a su hijo al cole, tendrá que recoger al primero que salga, aunque no sea su hijo, así se evitarán caravanas y embotellamientos. Al día siguiente lo dejará en el colegio. Los coches no tendrán ni que aparcar.

Ahora no suena ningún claxon a la salida del colegio; y hasta el alcalde vino un día al cole y le dio una placa a la directora, que se emocionó y se puso a llorar; y el alcalde no la entendía, porque hablaba en inglés lloroso, y cuando terminó su discurso incomprensible le dio un abrazo y le manchó la chaqueta. Menos mal que el *teacher* Bermúdez le dio un pañuelo de papel y la chaqueta quedó como nueva.

La directora, al ver que había manchado la chaqueta verde del alcalde, lloró todavía con más intensidad, y parecía que se ahogaba, y la seño Ana se la llevó al pasillo y sonaron dos golpes que todos identificamos al momento: el golpe de la carne contra la carne. Una torta bien dada, vamos. Bueno, dos. La directora se calmó y entró de nuevo, más tranquila, con la cara roja y con una mano señalada en cada mejilla. Al día siguiente echaron a la seño Ana, cuyo nombre se lee igual si empiezas por el principio o por el final. Al principio la echaron, por cierto, pero

al final la readmitieron. Se disculpó ante la directora y la directora al principio no aceptó las disculpas, pero al final sí.

—Isa al revés se dice Así —le dije esa tarde a mi hermana.

—¿Pero «así» cómo? —preguntó.

—Solo Así.

—¿Y cómo se dice Fat al revés, Fat?

—No sé, pero Fede en inglés significa «guapo».

—¿De verdad?

—No, pero no le digas a nadie que es mentira.

Mi padre llegó a la casa muy contento porque le había dado la mano al alcalde, ya que la idea de *The big family* se le había ocurrido a él.

—Me voy a comprar una chaqueta verde —exclamó mientras cenábamos.

Después se quedó callado, pensando. Creo que se imaginaba dando un discurso con su chaqueta verde. De repente se le puso cara de asco, a lo mejor imaginó a la directora de un cole abrazándole y llenando su chaqueta nueva de mocos.

6
HELP!

Help significa «ayuda», y es que necesi- to ayuda para explicar mejor lo de la gran familia. Voy a preguntarle a Isa:

—Isa.

—¿Qué, Fat?, ¿no ves que estoy haciendo los deberes?

—Pero si estás merendando.

—¿Merendando? Estoy estudiando Física.

—Pero si estás mojando galletas en el vaso de leche.

—Esto es Física. Mira: si introduzco la galleta entera, se derrama la leche.

—Pues no la introduzcas entera, Isa.

—Eso es el principio de Arquímedes.

—¿De quién?

—Ya lo estudiarás. La cantidad de leche que se derrama es similar a la de galleta que meto en el vaso.

—¿Puedo estudiar yo también?

—Lo que tú quieres es comer galletas, y no te dejan comer más de veinte al día.

—¿Y Arquímedes descubrió eso antes de meter algo en un líquido o después?

—Después.

—Entonces... ¿Por qué se llama principio y no final?

Yo creo que Arquímedes se bañaba en la bañera en vez de ducharse, como tenemos que hacer para no gastar tanta agua, y encima lo ponía todo perdido porque salpicaba mucho. Y para que su madre no le regañase se inventó un principio, y se hizo famoso y a lo mejor se compró una chaqueta verde. Verde al revés es «edrev», que no significa nada. Ajedrez es un juego con piezas blancas y negras, deberían poner alguna verde.

—Bueno, ¿qué querías? —se impacientó Isa.

—Que me expliques lo que es la *big family*.

—La *big family* es que cuando un niño sale del cole se va con el primer padre que haya llegado, y ese padre o madre se compromete a prepararle la comida, ayudarle con los deberes y tratarlo como si fuese su propio hijo, y al día siguiente lo dejan en el cole.

—Oye, Isa, ¿Arquímedes tenía hijos?

—Sí, Arquimedito. Fue un buzo muy famoso y descubrió restos muy antiguos en el fondo del mar.

—¿En serio?

—No. Anda, déjame comer galletas.

7

MI HERMANA ISA

A mí me encanta hablar con mi hermana Isa porque ahora la veo poco. Solo una vez caímos con la misma familia, pero casi todos los fines de semana los pasamos juntos con papá, con mamá y con el perro que trajo mamá cuando se murió mi loro de juguete. Un día se me cayó al suelo y papi lo pisó y lo espachurró. Decidí que se había muerto y quise enterrarlo en mi cuarto. Con un martillo golpeé un hierro e hice un agujero en el suelo un día que no había nadie en la casa. Cuando el agujero estaba casi terminado, apareció el salón del vecino del tercero, el piso de abajo, y, de repente, dejó de verse el salón del tercero y apareció un ojo, el del señor del tercero; y se separó y se vio otra vez el salón, y la familia del tercero, asustada, mirando hacia arriba hasta que vieron mi ojo.

—Pero si es Fede —dijo la señora del tercero.

—Buenas tardes, señora del tercero.

—¿Se puede saber qué haces? —gritó el señor del tercero.

—Enterrar a mi loro.

—¿Y lo quieres enterrar en nuestro salón?

—No, es que no sabía que el suelo era tan delgado.

—¿Está tu padre o tu madre en la casa?

—Justo ahora están entrando.

—Pues dile a alguno de los dos que se asome.

—Es que si se lo digo me van a regañar.

—Como no se lo digas cojo la fregona y te meto el palo en el ojo.

Mi padre le dijo que eran cosas de niños, y el señor del tercero le respondió que sus hijos nunca habían hecho agujeros en el suelo de su casa.

—Bueno, es que usted no tiene hijos —aclaró mi padre.

—Eso es verdad, pero mi mujer tampoco hace agujeros en el suelo.

—Ni yo, oiga —gritó mi madre, que apartó a mi padre.

—Entonces tendrá razón su marido y serán cosas de niños —concedió el señor del tercero—. Pero el agujero habrá que arreglarlo.

—Por supuesto, eso lo arregla mi marido ahora mismo.

—¿Yooo? —intervino mi padre sorprendido—. Mañana llamo a un albañil. Estooo, perdone, vecino, ¿y si aprovechamos que esta noche estamos comunicados e introducimos un cable euroconector hasta su descodificador de la televisión de pago y puedo ver el partido de la *champion*?

—Es que mi mujer quería ver la película de las diez.

—Pregúntale qué película es —dijo mi madre.

—Si queréis bajad a verla —ofreció el

vecino, completamente calmado—. Pero que no venga el niño.

—Fede, la que has liado —me susurró Isa—. Has creado un agujero negro, como los del espacio.

—No es negro porque se ve el ojo del vecino del cuarto.

—Es verdad, pero cuando apaguen la luz será negro.

—Qué miedo.

8

THE BIG FAMILY, OTRA VEZ

Vuelvo otra vez a lo de *The big family*, es que me parece que todavía no está claro del todo. A veces no me explico bien. El caso es que cuando yo salga del cole habrá una madre esperándome y lo más seguro es que no sea la mía, será la que esté la primera de la cola de padres y madres, la que haya llegado primero, y me iré con ella, que me preparará la comida, me ayudará con los deberes si no se cree que no tengo, y al día siguiente me llevará otra vez al cole.

Las primeras veces era raro, pero ya me he acostumbrado. Lo que pasa es que no todas las familias son iguales, y unas me gustan más que otras, pero como solo es para un día pues no importa demasiado. La peor creo que fue la segunda semana, uff, la de Marina Marín Morón. Al principio todo fue bien. Me pusieron sopa y croquetas con ensalada. De postre, yogur, que me lo pusieron sin azúcar, menos mal que se creyeron que el médico le había aconsejado a mi padre que yo tomase mucha azúcar.

—Mi médico de cabecera, el doctor Arquímedes —mentí un poco, o un mucho—, le dijo a mi padre que para equilibrar los niveles debía tomarme siempre el yogur con dos cucharadas de azúcar.

Por la tarde fuimos a montar en bici por el paseo marítimo (¡yo, con la bici rosa de Marina Marín!) y después a hacer los deberes. Pero cuando fui a acostarme se dieron cuenta de que Marina solo tenía camisones, así que dormí con un camisón de princesa. Desde entonces siempre voy al cole con una mochila donde llevo ropa interior de recambio, el pijama y, si mi madre no se da cuenta, un paquete de galletas.

Pero lo que decía que fue lo peor fue cuando la madre de Marina quiso darme un antibiótico que se estaba tomando su hija. Yo le dije que yo no tenía ninguna infección en la garganta, que los tratamientos que aconseja el médico solo sirven para la persona enferma, pero ella insistía en que me lo tomase. Me dijo que si su hija tenía que tomarse una pastilla debía tomársela todo el que viniese en lugar de ella, y yo le dije que no, que lo que había que hacer era que Marina se la tomase estuviese en la casa que estuviese. Al final llamó a una prima suya que es médica y le dijo que yo tenía razón.

No tenía ni idea de quién habría dormido en mi cama, pero al llegar al cole, Sergio me dijo:

—¿Tu padre no se quita nunca la chaqueta verde?

Entonces supe que había sido él.

—¿Cenó con la chaqueta puesta?

—Sí.

—¿Y viste a mi hermana Isa?

—No, había una amiga suya, se llama Julia y contó que su profe de Ciencias siempre le dice a Isa que qué cosas tiene.

—¿Y qué cosas tiene?

—No lo sé. ¿Dónde has dormido tú?

—En casa de Marina.

—¿Marina Marín?

—Morón.

—Yo estuve allí la semana pasada, ¿viste a su hermano pequeño hacer los deberes?

9
EL HERMANO
DE MARINA

El hermano pequeño de Marina es el torpe más inteligente que conozco. No se entera de los deberes, no los comprende, necesita un profesor con muchos conocimientos para que se los explique. Mario estaba en primero de Primaria y de deberes de Matemáticas le habían puesto cinco sumas. Sumas simples, del tipo cuatro más tres. Miraba las sumas, mordía el lápiz, se comía las uñas, bufaba, gruñía, tosía, ladraba (bueno, a lo mejor estoy exagerando, ladrar no ladraba), hasta que se puso a llorar. Entonces vino a la cocina el marido de su madre, que se llama Domingo y llevaba dos horas durmiendo la siesta.

—Hola, tú debes de ser Fede, ¿no?

—No, Fede es él —me señaló Mario.

—Ya lo sé, hombre, estaba bromeando, si llevo cuatro años viviendo aquí, tú cara ya me suena.

—Domingo es un dormilón —me dijo Mario, como si yo no me hubiera dado cuenta.

—Es por el nombre —explicó Domingo.

—¿Por el nombre? —pregunté.

—Sí, es que estoy siempre cansado porque tengo nombre de fin de semana, Domingo, y encima me apellido Domínguez, que es como Domingo aunque más largo, ¿pero sabes lo peor?

—No —respondí con curiosidad.

—Que nací en Sabadell, que es como sábado, y nací el 24 de junio, que es el primer día de vacaciones. Por eso siempre tengo sueño. Pero dime, Mario, ¿por qué lloras?

—Porque me han puesto la suma más difícil del mundo.

—A ver. ¿Diez más seis?, ¿no entiendes diez más seis?

—No.

El marido de la madre de Marina y Mario se sentó junto a él y, tras pensar un rato, empezó a explicarle la suma:

—Imagínate que hacemos una fiesta y vienen diez amigos, y un rato después vienen seis amigos más, ¿cuántos son?

—Necesito más datos.

—¿Más datos?

—Sí, motivo de la fiesta, nombres, profesiones, aspecto físico…

—La fiesta es por mi cumpleaños.

—Bien —dijo Mario, y escribió en una hoja «cum-ple-a-ños»—. Nombres.

—¿Los nombres de todos?

—De todos.

—Bueno, hay cuatro Albertos, siete Robertos y cinco Rigobertos.

—Profesiones.

—Hay cinco banqueros, cinco estudiantes, cinco políticos y un parado de larga duración.

—Aspectos —ordenó Mario.

—Seis altos y delgados, tres altos y gordos, cuatro medianos y calvos, tres con bigote y uno pelirrojo.

—¿Se lo estaban pasando bien?

—Sí, todos menos dos que estaban aburridos.

—¿Por qué? —quiso saber Mario.

—Porque tenían sueño, es que eran de Sabadell.

—¿Amigos tuyos de cuando vivías allí?

—Sí.

—Dieciséis.

—Perfecto, Mario, eres un genio. Necesitas tu tiempo, pero eres un genio.

—Tiempo, no; necesito datos.

10
MI PERRO

Sergio me dijo que cuando durmió en mi casa, creyó que no había techo y que la lluvia caía sobre su cara. Era Ronquidos, mi perro, que le dio un lametón de alegría al ver que se estaba despertando y que ya podría jugar con él. Sergio tiene una pierna ortopédica y se la quita para dormir, y mi perro, después de darle el lametón, le llevó la pelota para que Sergio se la lanzase, pero no sabía cuál de los dos Sergios era el encargado de lanzársela: el Sergio que estaba sentado en la cama con la cara pringosa del lametón o el Sergio que estaba a un lado con un calcetín y un zapato. Uno era Sergio, el otro la pierna ortopédica de Sergio. Como el Sergio con zapato no tenía brazos se dirigió al otro, que, efectivamente, cogió la pelota de la boca del perro y se la lanzó a la otra punta del cuarto. Después Sergio se puso la pierna y los dos Sergios se convirtieron en uno.

Mi perro es lanudo y gordo, como yo. Bueno, yo no soy lanudo, soy un poco gordo y ya está. Yo no llevo una pelota de tenis en la boca ni muevo el rabo, tampoco voy dando lametones a la gente. Cuando estoy en mi casa, me encanta bajar a la calle con Ronquidos (¿a que no sabéis por qué se llama así?) y darle un paseo. Se para al lado de absolutamente todos los árboles, olisquea un rato, después levanta una de las patas de atrás (los coches tienen marcha atrás y los perros patas de atrás, pero nosotros no: si queremos ir hacia atrás tenemos que dar media vuelta y avanzar; tampoco tenemos intermitentes) y, con la pata de atrás levantada, orina un poco. Entonces me mira y seguimos andando.

—Buen chico, Ronquidos —le digo, y él mueve el rabo.

A veces encoge las patas de atrás y hace caca. Yo la recojo con una bolsa de plástico, para que nadie la pise, y la echo en un contenedor. Los contenedores comen caca. Es mucho mejor comer galletas. Me encantaría que Ronquidos en vez de hacer caca hiciera galletas. Entonces no las tiraría al contenedor. Cuando subimos a casa busco la pelota de tenis y se la tiro, Ronquidos cruza el pasillo y el salón corriendo para cogerla, derrapando, y traérmela rápido, hasta que mi madre grita:

—¿Queréis parar?

Ronquidos se intenta esconder detrás de mí.

—No somos nosotros, es la pelota —me defiendo.

—He dicho que paréis —vuelve a gritar.

—Déjalos, no hacen nada malo —interviene mi padre.

—Tú te callas —le ordena mi madre—, y quítate la chaqueta verde que pareces tonto.

—No se dice tonto, aunque lo sea —grita Isa desde su cuarto.

—Se lo digo con cariño —se defiende mi madre.

Yo he grabado en mi móvil (sí, tengo un móvil, pero sin saldo, solo puedo escuchar música, grabar y hacer fotos) los ladridos de Ronquidos, y cuando estoy en otra casa escucho los ladridos al acostarme y me duermo en seguida. Una noche, en casa de Mohamed, me equivoqué y puse la grabación demasiado fuerte. El padre entró asustado con una sartén en la mano.

—Es que estaba jugando a que era un perro y he ladrado un poco fuerte —mentí un poco para que no me quitasen el teléfono.

El padre de Mohamed iba a decirme que no se lo creía, pero se dio cuenta de que había entrado sin llamar y con una sartén en la mano, así que miró la sartén, como si no supiera quién la había puesto allí, me miró a mí y se justificó:

—He cogido la sartén por si había un monstruo en el cuarto —dijo.

Pero no me explicó si con la sartén pretendía pegarle al monstruo en la cabeza o

cocinarlo. Para cocinar un monstruo lo mejor es pelarlo primero. En la vida me comería un monstruo con pelos, qué asco.

—¿Me pone dos kilos de naranjas de zumo? —aproveché para pedirle al padre de Mohamed.

—¿Cómo?

—Es que me dijo mi madre que si caía en esta casa me llevase naranjas, que ella se las pagará en cuanto le vea.

—Bueno, las naranjas las tengo en la frutería, ya se las llevo yo mañana, no te preocupes. Y no ladres más, por favor.

11
UNA CARTA DE AMOR

El viernes, cuando por fin volví a mi casa y me abracé a Ronquidos y hasta dejé que Isa me diera un beso, encontré una carta, ¡una carta de amor! Estaba debajo de mi almohada. La carta decía así:

Querido Fat, digo, Fede:
Eres muy simpático. El más simpático. Me gustaría darte un beso (si me prometes que te lavas los dientes después, uy, no, antes) y casarme contigo. Bueno, casarme contigo cuando seamos mayores, de momento me gustaría ser tu novia y montar en bici por el parque contigo.
Adiós.

Fui al salón, nervioso y emocionado, para llamar por teléfono a Marga. Yo quiero a Marga, la conozco desde Educación Infantil, y ella sí que es simpática. Estaría toda la vida dándole besos, me imagino que no tendría que lavarme los dientes antes de cada beso, a lo mejor me deja lavármelos cada diez besos. Dándole besos y montando en bici con ella y cayéndome de la bici (yo es que me caigo cada tarde un par de veces, cuando mi padre me dice: «Venga, Fede, vamos a casa»; siempre le respondo: «Espera que me caiga otra vez y ya subimos»), cayéndome y levantándome y enseñándole mis heridas en las rodillas y en las manos y en la frente y mostrándole lo rápido que soy enderezando el manillar y ajustándome el casco y montando con una sola mano. Soltándome de las dos no, que me caigo otra vez.

Cogí el teléfono, marqué su número, iba a decirle que yo también la quería, que quedásemos esa tarde para montar en bici o para merendar, que hiciésemos jun-

tos el trabajo de Conocimiento del Medio, y cuando ya había marcado, cuando sonaba el timbre de espera, justo cuando oí la bella voz de Marga decir «Hola», me di cuenta de una cosa. Tapé el auricular con la mano y le pregunté a mi madre:

—Mami, ¿Marga estuvo ayer en la casa?

—¿Marga?, no, pero dile que se venga a merendar si quiere.

—¿Y anteayer?

—No, no ha venido en toda la semana. No le ha tocado nuestra casa en todo el curso.

—¿Hola? —seguía repitiendo Marga—, ¿eres tú, Fede? Trágate las galletas y di algo.

Colgué y me fui a mi cuarto, con ganas de llorar. Solo quería estar con Ronquidos. Quería que se hiciera de noche para meterme en la cama y no tener que hablar con nadie. Se me saltaron las lágrimas. Marga no era la autora de la carta.

Sonó el teléfono y lo cogió mi madre.

—Fede —llamó gritando—, es para ti, Marga.

—Marga y Fede son novios —canturreó Isa desde su cuarto.

Como no me moví del cuarto, mi madre entró y me preguntó asombrada qué hacía llorando.

—No estoy llorando, es que Ronquidos me ha dado un lametón en la cara.

—Toma el teléfono, es Marga.

Me limpié las lágrimas con el rabo de Ronquidos y lo cogí.

—Hola —dije sin ganas.

—¿Por qué estás llorando? —preguntó Marga.

—No estoy llorando.

—No pasa nada si lloras, yo también lloro algunas veces. Si un autobús de dos pisos me atropella, lloro. O si me pisa un buey, o si voy andando por la acera y me cae un piano encima.

—¿Qué quieres?

—Me has llamado —dijo Marga.

—No.

—Sí, he reconocido tu número. Pero te has quedado callado.

—No te he llamado.

—Bueno, ¿te apetece montar un rato en bici?

Separé el auricular de mi cara para gritarle a mi madre:

—Mami, ¿puedo ir al parque con Marga para montar en bici?

—Marga y Fede son novios —canturreó de nuevo Isa.

—Vale, pero vuelve antes de que se haga de noche. Y pregúntale a Lee si quiere irse con vosotros.

—Dice que no quiere —grité.

—No se lo ha preguntado —gritó Isa.

12
EL MISTERIO

Si Marga no había estado en casa, no podía haber dejado la carta. Podría tratarse de una broma de mi hermana Isa, pero Isa también había estado toda la semana fuera. ¿Blanca?, ¿tal vez Big me quiere? Le pregunté a mi madre quiénes habían estado en mi casa esa semana y la respuesta me desconcertó más aún: solo habían venido niños, ni una sola niña. A lo mejor un niño quería casarse conmigo. ¿Qué niño? Releí la carta y me quedé más tranquilo cuando me di cuenta de que la había escrito una niña, porque decía: «de momento me gustaría ser tu novia». Novia, nada de novio. Me quedé más tranquilo, pero más tranquilo no significa tranquilo, significa solo «más tranquilo». Yo no quería ser novio de cualquier niña, yo quería ser novio de Marga, igual que Novita quiere a Sizuka, ¿es tan difícil de entender?

Decidí pasar al ataque. Intentaría ir a casa de Marga. Me escondería en la puerta del cole hasta que viese a su madre aparecer y entonces saldría para que ella me recogiese, y, una vez en su casa, le dejaría un mensaje. Tenía que ser el jueves, para que al día siguiente durmiese ella allí y no otra persona. La carta la tenía que encontrar Marga y solo Marga. Estaba tan decidido que escribí la carta en ese momento:

Hola Marga. Te quiero tanto como a Ronquidos. Me quiero casar con los dos. Bueno, a ti te quiero un poco más porque no haces caca en la calle. Además, Ronquidos no sabe montar en bici. Soy Fede, digo, Fat.

Para que nadie pudiese descubrir la carta, o si la descubría no pudiese leerla, o si

la leía no pudiese entenderla, le dije a Lee
que me la tradujera al inglés. Se la dejaría
en inglés, por si la descubría su madre.
Antes, llamé a Marga:

—Ahora no has colgado.

—No, es que quiero preguntarte una
cosa, Marga.

—Dime.

—¿Tu madre sabe inglés?

—Claro, ¿por qué?

—Era simple curiosidad.

—Mentira, dime por qué.

—Por nada, de verdad.

—¿No estarás pensando escribirme una
carta en inglés para que nadie la entienda?

Colgué el teléfono. ¿Cómo lo había adivinado?

13
MALA SUERTE

La semana pasó lenta, no he visto una semana más lenta en mi vida. Más lenta que Fernando Alonso conduciendo un tractor en una carrera, más lenta que una película de mayores, más lenta que una noche si sabes que por la mañana te vas a encontrar en clase al grandullón que te ha dicho que te vas a enterar cuando te pille…, lentísima; como un recreo en el que te han castigado sin jugar, como un plato de lentejas, como papá cuando me cuenta otra vez todo lo que podía hacer con un euro cuando él tenía diez años.

Pero llegó el jueves. Las naranjas del padre de Mohamed lo complicaron todo un poco, porque me las trajo Mohamed el lunes a clase y cada día iba yo con mi bolsa de cinco kilos de naranjas de zumo por si me recogía mi madre o mi padre, pero no: nunca estaban ellos. Pero llegó el jueves. Conseguí salir de los primeros y esconderme detrás de un árbol que hay junto a la puerta del cole. Cuando vi a la madre de Marga salí corriendo hacia ella, pero se me cayó una naranja de la bolsa, la pisé, tropecé y caí rodando con tan mala suerte que me recogió una mano llena de pelos. Yo sabía que la madre de Marga no tenía pelos en las manos, entre otras cosas porque las madres no suelen tener pelos en las manos, solo algunos padres, así que supe en seguida que iría a otra casa. Era un hombre grande que me preguntó si estaba bien.

—Sí, pero creo que me voy con ella —respondí, señalando hacia donde había visto a la madre de Marga, que se alejaba de la mano de Mohamed.

—Creo que te vienes conmigo —dijo el hombre, revolviéndome el pelo. Odio que me revuelvan el pelo—. Por la tarde haremos *crêpes* salados —añadió. Odio los *crêpes* salados, solo me gustan los de chocolate o dulce de leche.

En el coche me fijé en que también tenía pelos por el cuello y los hombros, era un osito. Y sin embargo estaba calvo. Tenía pelos en todos los lugares donde no son necesarios y le faltaban en su sitio. Si fuese taxista podría ganar dinero ponién-

dose publicidad en la calva. Todos los pasajeros le mirarían su cráneo reluciente y leerían el anuncio del día.

—¿En qué curso está su hijo? —le pregunté al osito.

—No tengo ningún hijo en el cole. He entrado al colegio buscando trabajo y la directora me ha dicho que no me podía dar un empleo, pero que ya que estaba allí podía llevarme un niño a mi casa. Yo tengo un bebé de dos meses. A mi hijo todavía no puedo contarle cuentos, así que practicaré contigo. Nos lo vamos a pasar muy bien.

—¿En serio?

—No, hombre, tengo en el cole un hijo mayor que tú. Y estoy preocupado, porque he visto que se iba con un señor muy raro: tenía una chaqueta verde.

—¿Y un coche amarillo?

—Sí, ¿cómo lo sabes?, ¿has ido alguna vez con él?

—Sí, alguna. Parece tonto, pero es muy, pero que muy, buena gente.

14
MIEDO

El bebé de dos meses no tenía un solo pelo: todos los tenía su padre en el cuello, hombros y manos. La mujer resultó bastante simpática y con el pelo en su sitio.

—Le voy a contar un cuento cuando se acueste —le dijo a su mujer.

—Qué bien, cuéntale el de los ladrones —propuso ella.

—¿Quieres acostarte ya, tienes sueño? —me preguntó el hombre, que tenía muchas ganas de contarme ese cuento de ladrones.

—Déjalo, Oso, todavía son las cinco de la tarde.

—¿Le dicen Oso?, ¿por los pelos en el cuello y las manos? —pregunté.

—No —me aclaró su mujer—, es que se apellida Osorio y desde que estábamos en el colegio todos le decíamos Oso.

Vaya metedura de pata, quise irme a dormir aunque fueran las cinco, pero entonces se vendría conmigo el señor Osorio para contarme el cuento de ladrones que no me apetecía nada nada escuchar, porque yo por las noches tengo mucho miedo, incluso por las tardes; ya se me quitará cuando sea mayor, pero un cuento sobre ladrones no iba a ser precisamente la solución.

Oso, como Ana, es una palabra que se lee igual si empiezas por el principio o por el final. Oso empezó hablándome de *crêpes* y terminó haciéndomelos. Estaban plastosos (que termina en «osos», que al revés se dice «soso», y eso que eran salados) y dentro les ponía jamón y queso.

—Señor Oso —le pregunté—, ¿no tendría chocolate o dulce de leche?

—No me digas señor Oso, por favor, hoy soy como tu padre.

—Osito, ¿no tendrías chocolate o dulce de leche?

Y así fue cayendo la tarde. Salió la luna, me bañé, cené más *crêpes* salados y llegó la hora de acostarme. Cuando ya estaba casi dormido se abrió la puerta del cuarto y me estremecí de miedo.

—Soy yo, se nos había olvidado lo del cuento —dijo el señor Oso.

A mí no se me había olvidado, pero lo último que deseaba escuchar era un cuento sobre ladrones.

—No importa, otro día. Además, soy un poco mayor para los cuentos —dije.

—Es un cuento que te va a gustar mucho. Es de una casa donde por la noche entran dos ladrones y...

—No, por favor, es que me dan mucho miedo los ladrones.

—No te preocupes, no tengas miedo. Los ladrones generalmente entran cuando no hay nadie en las casas, y si hay alguien entran cuando están durmiendo.

—Ya, pero...

—No, en serio, no tengas miedo de los ladrones. En la vida se me ocurriría contarle a un niño un cuento de miedo, jamás

le hablaría, por ejemplo, de un monstruo
que se alimenta de pies de niños, se los
come hasta con las uñas. Con los calcetines no, porque le da asco al monstruo,
pero en cuanto le quita al niño los calcetines se zampa los pies. Ñam, ñam. Eso en
la vida te lo contaría.

—Bueno, acabas de contármelo.

—Pues es verdad.

—¿Y si viene el monstruo?

—¿Te has quitado los calcetines?

—Sí.

—Póntelos otra vez. Yo dejaré los míos en la puerta de tu cuarto. Nunca se acercará el monstruo si hay tantos calcetines.

Es lo típico que de día crees que es mentira, pero de noche dudas, piensas que a lo mejor es verdad, y los dientes te castañean de miedo. Mi padre tiene una chaqueta verde y un coche amarillo, pero fue a él a quien se le ocurrió la idea de *The big family* y por las noches me cuenta cuentos bonitos. Quería estar con él. Mi padre, además, aunque está calvo no tiene pelos en la espalda. Bueno, unos cuantos sí, pero hay claros. Y con mi madre, quería abrazarme a ella, y ver a Isa, que ya no me dice renacuajo pero me llama otras cosas, y a Ronquidos. Hasta tenía ganas de ver a Lee, que era un poco como mi hermano.

15

LEE, EL AMIGO AMERICANO

Lee llegó a la casa en septiembre, justo antes de que comenzara el colegio. Papá, mamá, Isa y yo fuimos al aeropuerto a recogerlo. No sabíamos exactamente su nombre ni cómo era, porque solo habíamos recibido unos papeles en inglés que no incluían ninguna foto. En la página con sus datos estaba escrita su edad, quince (como Isa), y las siguientes palabras: Lee Read Topeka Kansas. Como Read significa leer, mi padre pensó que habían traducido la palabra «lee», con lo cual lo siguiente, Topeka, sería el nombre. En una cartulina Isa escribió en letras grandes Topeka, y dibujó una hamburguesa y una bandera de los Estados Unidos.

—Yo creo que es de raza negra —comenté.

—A lo mejor, no lo sabemos —contestó mi madre.

—Es que se llama Topeka, ¿entiendes? «Todo peca», como si tuviera una peca muy grande, un lunar que le ocupa todo el cuerpo. Es negro.

Pero Topeka era la ciudad. Topeka es la capital del estado de Kansas. Read era su apellido.

—Si fuera alérgico se llamaría Topika —añadí.

En seguida apareció Lee entre el resto de pasajeros, alto y de raza negra. Parecía un jugador de baloncesto, con sus brazos musculosos y su camiseta de la NBA. Mi padre se acercó a él mientras Isa suspiraba y repetía:

—Dios mío, que sea él, que sea él.

—*Are you Topeka?* —le preguntó mi padre.

—No, Topeka, Kansas. Lee —respondió Lee sonriendo.

—Debe de ser un amigo suyo: Topeka

está cansado, a lo mejor sigue en el avión. Será el *jet lag* —nos dijo mi padre.

—*Are you mister Arjona?* —preguntó Lee.

—Topeka Kansas, Kansas Topeka —le dijo mi padre.

—*Yes,* Topeka, Kansas, USA. *I am Lee Read.*

—Papá, es Lee —le aclaró Isa.

—¿*Slip?* ¿Se me ven los calzoncillos?

—No, papá, que se llama Lee. Topeka es Topeka, la capital de Kansas.

—Topeka —le dijo mi padre a Lee—, tú eres un hijo para mí. He vuelto a parir.

—Papá, tú nunca has parido —protestó Isa.

—Este es Fede —me presentó mi padre.

Lee me ofreció la palma de su mano para que se la chocase y luego me revolvió el pelo. Odio que me revuelvan el pelo.

—Topeka es una ciudad muy bonita y muy grande. —Quiso arreglarlo mi padre mientras Lee saludaba a mamá.

—En realidad Topeka es muy pequeña —dijo Lee en español.

—Sí, pero grande en su esencia. —Lo arregló mi padre.

—Intenta no decir una sola tontería más hasta que lleguemos al coche —regañó mamá a papá—. Topeka ni Topeka.

—Málaga no es Topeka —le dijo mi padre a Lee.

—¿No podías esperar a llegar al coche? —murmuró mi madre.

—Topeka, digo Lee —le dijo Isa—, tenemos un perro, ¿te gustan los perros?

—Sí, mucho.

—Ronquidos —dije yo.

—¿Es el hijo de Ronqui uno? —bromeó Lee.

—Anda, por si no teníamos bastante con papá, ahora llega bromista dos —protestó mi madre, pero de broma.

Lee viviría con nosotros todo el año y asistiría a la clase de Isa, que mientras nos dirigíamos a casa se imaginaba dentro de veinte años abanicándose en una butaca de la puerta de una granja en Kansas, mirando cómo Lee jugaba con los cuatro hijos que tenían. Isa pensó que en Estados

Unidos a lo mejor no había abanicos. ¿Alguien ha visto en una peli americana alguna mujer con un abanico? Así que en su imaginación cambió el abanico por un bate de béisbol. Aunque, ¿en una butaca con un bate? No, tampoco, y como no encontraba nada que le sirviese volvió al coche amarillo, donde mi padre hablaba de política, aunque le había prometido a mi madre que no comentaría nada de política:

—En España tenemos muchos problemas. Necesitamos un presidente como el vuestro, un Obama, pero más grande, como Gasol, pero en Obama, que arregle esto.

—Si Gasol se casa con Ana Lina la de mi clase, sus hijos correrían muchísimo —se me ocurrió.

—¿Por qué? —me preguntó Lee. Me gustó que me preguntase.

—Porque se llamarían de apellido Gasol Lina.

—Serían unos niños muy contaminantes —sonrió Lee—. Y muy caros.

Mamá quería que al año siguiente Isa o yo fuéramos a casa de Lee, pero yo haría todo lo posible porque fuera Isa. Yo no quería separarme de mis amigos, Marga y Sergio.

16
FINDE

Por fin viernes. Salí del cole con mi bolsa de naranjas y mis ojeras (no había pegado ojo por culpa del osito y su maldito cuento de ladrones y monstruos) y me dirigí, un poco depre, la verdad, a la chaqueta verde dentro de la cual estaba mi padre sonriente. Me abracé a él.

—Vamos a esperar a Isa y a Lee y nos vamos a casa. He preparado una tortilla de patatas gigante —me dijo mi padre.

—¿Y mamá?

—Ha ido al mercado a comprar tomates para la ensalada. La recogemos de camino a casa.

—Tú tomas café y mamá toma té. Tenemos una mamá tomate.

—¿Qué tal esos padres que no son tu padre? —me preguntó mi padre.

—Bueno, regular. Ayer me tocó un osito y encima me contó un cuento de ladrones. Creo que su hijo estuvo en nuestra casa.

—¿Se apellida Osorio?

—Sí. Osorio es un oso limpio, porque va al río de su apellido.

—O un oso que hace gracia. Yo me río con oso —dijo mi padre.

—Es verdad.

Me pareció que Isa y Lee venían de la mano pero no estaba seguro.

—Isa, ¿sois novios?

—¿Por qué dices eso? —preguntó Isa un poco enfadada.

—Porque veníais de la mano.

—No —dijo Lee, que me mostró sus manos. Tenía las palmas blancas.

—Isa, le estás contagiando tu palidez. Como le abraces vas a dejarle la espalda blanca.

—Fat, estás más loco que una oveja —rio Lee.

—Será que una cabra.

La semana había sido un fracaso. Mi principal objetivo consistía en pasar una noche en casa de Marga y no lo había conseguido. A no ser que… ¡Se me acababa de ocurrir una idea! Le propondría hacer los deberes juntos. Cuando en algún momento ella se levantase para entrar al baño, yo escondería bajo su almohada mi carta de amor.

—¿Tenéis muchos deberes para este fin de semana? —quiso saber mi padre en ese momento.

—Sí, muchos. Me ha pedido Marga que vaya a explicarle Matemáticas esta tarde —aproveché para preparar el terreno.

—Pero si Marga sacó un sobresaliente en Matemáticas y tú un cinco —dijo Isa.

—Pero he mejorado mucho —me defendí—. Pregúntame lo que sea de Matemáticas y verás.

—Si un avión sale de Madrid a las doce y tarda dos horas y cuarenta minutos en llegar a París, ¿a qué hora llega si sufre un retraso de trescientos segundos? —preguntó Isa.

—Isa, tu cuestión es muy complicada —me defendió Lee.

—Todo va a depender del aeropuerto —respondí—, ya sabes... Controles policiales, facturación de equipaje y demás. ¿Sabes si lleva bolsa de mano? Lo mejor es que coja un tren.

—Eres un caso —dijo Isa.

—Prefiero ser un caso que una oveja o una cabra. Todo el día comiendo hierba. Un mono también está bien: comen plátanos y cacahuetes. Papá, ¿qué comen los casos?

—Mirad, ahí está mamá —dijo mi padre.

—Lee, mi madre es una mamá tomate —le comenté a Lee.

—No sé si como una oveja o como una cabra, pero como algo estás —se rio Lee.

—Papá, ¿qué comen los tomates?

17
OTRA CARTA

Le pedí a Isa su móvil y le mandé un whatsapp a Marga.

Fede: Ni idea de Matemáticas, ¿me voy a tu casa a merendar y me explicas los problemas?

Marga: *Yes*. Ayer durmió Sergio en mi casa.

Fede: ¿Te lo ha dicho tu madre?

Marga: No, es que se le ha olvidado la pierna ortopédica en la cama.

Fede: Es verdad, hoy ha ido al cole con una sola pierna. Yo pensaba que eran los recortes por la crisis.

Marga: Va a venir a recogerla y se queda a merendar. Podemos hacer Matemáticas los tres.

Marga ya no era la niña de cuatro años con trencitas que me gustaba en Educación Infantil. Ahora era la niña con trencitas que me gustaba en Educación Primaria. Éramos preadolescentes y un poco pavos, como decía la seño Ana, pero a parte de eso éramos los mismos. Me senté en la cama y al apoyar la mano en la almohada algo crujió. Un papel. Lo saqué: era otra carta.

Hola Fede:

Todavía no sabes quién soy, ¿no?, ¿es que piensas que hay muchas niñas que quieren ser tu novia? Me encantaría recibir una carta tuya, pero antes tienes que averiguar quién soy, claro.

Te quiero.

—Mamá, ¿esta semana ha estado Marga en la casa?

—No. Ayer estuvo un niño que se apellida Osorio.

—¿Tenía pelos en la espalda?

—No se la vi. En la cabeza sí tenía. ¿Tú tienes pelos en la espalda, Fede?

—Creo que no, pero no me la veo.

—Es lo que tiene tenerla detrás. Pero si la tuviéramos delante se llamaría barriga y pecho. Torso.

—Creo que es mejor dejar la espalda donde está.

—Sí, Fede, cada cosa en su sitio. ¿Qué tal la semana?

—Bien, pero te he echado de menos. Las otras madres cocinan bien y eso, me ayudan con los deberes, pero yo a la que quiero es a ti.

—Yo también, mi vida, mi pirata bueno. ¿Te acuerdas de cuando querías ser pirata?

—Sí, eso era en el otro libro, ¿no?

18
LECHE CON GALLETAS

El otro día, en tutoría, la seño Ana nos dijo que imagináramos cómo sería nuestro paraíso ideal. Juanpe dijo que el paraíso para él sería quedarse encerrado en una tienda de juguetes. Juanmi dijo que para él sería vivir en un campo de fútbol de césped, lo malo serían los pelotazos y los fuera de juego. A lo mejor sales de tu cuarto para ir al baño y sin darte cuenta haces un fuera de juego y pitan falta a tu equipo, y tú con unas ganas enormes de orinar. Y si haces pipí en el campo te sacan roja directa. Juanma dijo que una playa de arena blanca, y como Marga dijo que en las playas de arena blanca a veces hay *tsunamis* Juanma quiso cambiar, pero

Juanpe decía que no se podía cambiar, y Juanma le dijo que peor para él, porque en las tiendas de juguetes no hay comida ni cama, y si se quedaba encerrado todo un fin de semana lo iba a pasar fatal; entonces Juanpe dijo que sí valía cambiar y que él también quería cambiar y dijo que le gustaría vivir en una piscina en la que se hiciera pie.

Juanlu dijo que el paraíso para él sería un cole sin *Big Family*, porque él echaba mucho de menos a su mamá y Juanpe dijo que quería cambiar otra vez porque él también echaba de menos a su madre, pero Juanma le dijo que solo se podía cambiar una vez; y Juanlu dijo que el paraíso sería un sitio donde vale cambiar todas las veces que uno quiera. Juanra dijo que el paraíso para él sería también vivir en un campo de fútbol de césped, pero Juanmi respondió que eso ya lo había elegido él y no valía repetir, entonces Juanra le dijo que si no le dejaba elegir lo mismo que él entonces elegiría un rebaño de cabras para ir a su campo de fútbol a que se comieran todo el césped y dejaran el campo lleno de bolitas negras que parecían aceitunas pero que eran caca, y entonces Juanmi le dijo que «Bueno, vaaaale», le dejaba elegir lo mismo.

Juanan dijo que el paraíso para él sería poder hacerse invisible para entrar en los cines sin pagar, pero María le dijo que eso era un rollo porque la gente se sentaría encima de él y con gente encima no se ven bien las películas, entonces Juanan preguntó si al final se podía cambiar o no y como le dijeron que sí, eligió tener una tarjeta para entrar gratis a todos los cines durante dos años. Marina dijo que el paraíso para ella sería vivir en una playa a la que se acercasen ballenas todas las tardes; y Mariana dijo que para ella sería vivir en un iglú porque era muy calurosa, pero María Isabel le respondió que podría entrar un oso blanco y comérsela. Mariana le contestó que los osos polares no comen marianas, pero María Isabel le explicó que algunos sí y, entonces, Mariana dijo «Bueno, cambio», y eligió vivir en una casa con una parra y yo le dije «Será con un perro», pero ella me respondió que no, parra, para que haya sombra y no haga calor.

Mar comentó que para ella el paraíso sería vivir en una playa a la que se acercasen delfines todas las tardes, y Marina le dijo que eso ya lo había elegido ella. Mar le respondió que ella había dicho ballenas, aunque Marina le dijo que era verdad, que ella había dicho ballenas, pero que con las ballenas siempre van delfines, y Mar le preguntó si podían vivir juntas en la playa y Marina le respondió que sí; María Isabel les dijo que si la dejaban poner una casa con parra en la playa se iba con ellas; y le preguntaron a Marga si quería vivir con ellas en la playa, y dijo que ella viviría en un barco pirata y me preguntó si quería ir al barco con ella. Yo le pregunté si habría leche y galletas y Marga dijo que sí, y respondí que entonces claro que sí, y Sergio nos preguntó si podía ir con nosotros y los dos dijimos a la vez «Claro que sí».

19

LA MERIENDA

Mi madre me llevó en el coche a casa de Marga.

—Mami, te estás volviendo como papá.

—¿Calva? —me preguntó.

—No, verde. Tu falda es verde.

—Es verdad, pero yo me cambio de ropa cada día. Papá lleva siempre la chaqueta verde.

—¿No podemos hacer nada contra eso?

—¿Qué vamos a hacer, Fede?

—Secuestrar la chaqueta.

—No es buena idea, nos arruinaríamos. Tendríamos que pedir un rescate y papá lo pagaría.

—Pero no nos arruinaríamos porque el rescate nos lo pagaría a nosotros.

—Creo que es una idea un poco complicada, Fede. Un buen hijo no secuestra prendas de vestir de su padre.

—¿Eso lo dijo Arquímedes?

—¿Quién?

—Un griego que está en la clase de Isa. Llegamos a casa de Marga, mi madre detuvo el coche y me dio un beso.

—Pásatelo bien y recuerda que solo te queda una galleta.

—¿Una sola?

—Sí, dijimos veinte como máximo y hoy ya te has tomado diecinueve.

Cuando subí a la casa, vi que Sergio ya había llegado. Sergio estaba muy contento de ponerse la pierna ortopédica otra vez.

—Andar con muletas es un poco rollo porque tienes las manos ocupadas —explicó.

—Andar con muletas es como andar con las manos en los bolsillos —le dije—, porque no puedes usarlas para hacer otra cosa.

—Pero en los bolsillos están calentitas, y en las muletas les da el aire.

—Te puedes poner unos guantes —dijo Marga.

—Mi madre me dijo que un día se me iba a olvidar la cabeza —respondió Sergio.

—Si se te olvida la cabeza habría que darte de comer, porque la cabeza puede abrir la boca y masticar, pero no coger la cuchara —dije—. Espero que si un día se me olvida la cabeza la pongan en el sofá delante de la tele. Ojalá pongan una peli de Doraemon.

—Si tuviera los dos ojos de cristal, por la noche podría dejar uno en el sofá viendo la tele y el otro sobre el libro de Conocimiento del Medio, estudiando —comentó Marga.

—¿Y el resto de ti? —le pregunté.

—El resto de mí se acostaría —contestó Marga.

—Pero dormir sin ojos es un poco rollo —dijo Sergio.

—Por la noche no necesitamos los ojos. Lo que pasa es que haría falta alguien que cambiase el ojo de página, porque si no estaría siempre en la misma y te la aprenderías de memoria, pero si en el examen te ponen una pregunta de otra página suspenderías.

—Oye, ¿no tenéis ganas de hacer pipí? —les pregunté de repente, deseando quedarme un momento solo para esconder la carta bajo la almohada de Marga.

—Yo he hecho en mi casa —respondió Sergio—. Si yo tuviera los ojos de cristal los cerraría mientras hago pipí, porque si se caen al váter sin darte cuenta y tiras de la cisterna los perdería.

—Te compras otros —dije.

—No es tan fácil. ¿Tú has visto alguna vez una tienda de ojos de cristal?

—No.

—¿Ves?

Justo en ese momento se me cayó al suelo la carta que le había escrito a Marga, que vio el papel y lo cogió. Menos mal que pude quitárselo antes de que lo leyera.

—¿Es una carta de amor para Marga? —preguntó Sergio, yo noté que me ponía rojo como un tomate rojo.

—No, es una multa —mintió Fede.

—¿Una multa? ¿Te han multado por venir a estudiar a mi casa? —preguntó Marga.

—Se la han puesto a mi padre.

—¿Por llevar la chaqueta verde? —bromeó Marga.

—¿Y por qué la tienes tú? —quiso saber Sergio.

—Me ha dicho que como era algo importante quería que lo guardase yo —dije respondí.

—Pues me ha parecido tu letra —dijo Marga.

—Es parecida. Yo tengo letra de policía, me lo dijo el otro día la seño Ana.

—¿Y por qué te has puesto rojo?

—Yo no me he puesto rojo —me defendí, poniéndome más rojo todavía. Miré a Marga, que también se había puesto colorada.

—Déjame ver la multa —pidió Marga.

—Es que me ha pedido mi padre que no se la enseñe a nadie. Es nuestro secreto.

—Yo no me lo creo —dijo Sergio.

—Ni yo —dijo Marga.

—Bueno, yo tampoco me lo creo, pero no quiero enseñaros el papel —reconocí.

20

EL NOMBRE
DE MARGA Y
MARGA ENTERA

Marga es perfecta, o casi. Es simpática,
contesta correctamente todas las preguntas del profe de Matemáticas, corre mucho y una vez metió una canasta de tres
puntos en un partido de baloncesto. Solo
le encuentro una pega a Marga, y es una
pega pequeñita: su nombre. No es que no
me guste su nombre, todo lo contrario, es
un nombre bonito y empieza por «mar».
Y es que Marga es todo mar, y cuando se
quita las trenzas su pelo ondulado parece
que tiene olas, y sus ojos brillan a veces
como una sardina que vi una vez en la
playa, saltando en el agua. Me encanta su
nombre, solo que preferiría que se llamase de otra forma. Si yo quiero casarme al-

gún día con Marga, y tener cuatro hijos
que jueguen conmigo en la puerta de
nuestra casa de campo mientras ella se
mece en una butaca con un abanico y se
apoya en un bate de béisbol, en ese caso,
me encantaría que se llamase Magdalena,
porque cada vez que escuchase su nombre
me entrarían más ganas de merendar.

Por cierto, tengo que consultar en Inter-
net alguna lista de nombres de niñas para
ver si se podría llamar Galleta. Yo tengo
un primo que se llama Cayetano, pero es
un nombre negativo, me recuerda a lo que
me dice mi madre cuando escucha desde
su cama que me he levantado de madru-
gada y se da cuenta de que estoy abriendo
la puerta del mueble despensa:

—Fede —me llama.

—¿Qué? —pregunto, aunque sé lo que
va a decirme.

—Galleta, no.

Y entonces yo me acuerdo de mi primo
Cayetano.

Magdalena, en cambio, es una palabra
tan positiva... Bueno, en realidad si tiene

una parte negativa la magdalena, la otra, la que mojo en el vaso de leche: su carácter traicionero. Mojo la magdalena y, cuando miro el vaso después, falta la mitad de la leche, demostrando que el principio de Arquímedes, si no es falso, como mínimo es dañino. Conclusión: prefiero que Marga se llame Marga. Y a lo mejor, si cuando seamos mayores todavía nos queremos y vivimos juntos con nuestros cuatro hijos, con los que yo jugaría en la

puerta de la casa de campo, le preguntaría
si no le importa que yo la llame Margalena.

—Margalena —le diría mientras juego
con los cuatro niños—, ¿por qué te abani-
cas con un abanico si en Estados Unidos
no hay abanicos?

—Es que no estamos en Estados Unidos —respondería seguramente, y es que
tiene salida para todo.

Sí, es perfecta. O casi.

21
EL SÁBADO

Si la semana pasada fue lenta lenta lentísima, el fin de semana ha sido el que ha pasado más rápido de toda mi vida. Más rápido que Bolt, que es el hombre que corre más rápido del mundo. Más rápido que el vagón de la montaña rusa, donde por cierto me mareé y vomité ensaladilla, también rusa (qué pena, con lo que me gusta, mmmm, y si Isa no está, mi madre la hace con cebolla y está todavía más buena), más rápido que Lee en un contraataque de baloncesto, más rápido que un pez en el agua que lo ves ahí y te crees que lo puedes coger y metes la mano pero se ha ido rapidísimo, y menos mal que se ha escurrido porque si coges el pez ¿qué haces?, ¿le dices «hola pez»?, ¿le das un beso? (si no tiene mejillas), ¿un abrazo con cuidado de no espachurrarlo? Bueno, lo que estaba diciendo: que el fin de semana pasó rapidísimo. Pasó tan rápido porque al final conseguí dejarle la carta a Marga y entonces —muerto de vergüenza y de miedo— no quería que llegase el lunes para evitar encontrármela. Por eso quería que el fin de semana se detuviese, pero continuaba.

Como no se iban al baño, fui yo. O sea, no fui pero dije que iba. Estábamos merendando y les dije que me iba a lavar las manos.

—Voy a lavarme las manos —dije.

—¿Por qué? —preguntó Sergio.

—Porque las galletas hay que tocarlas con las manos limpias —respondí.

—Pero si ya te has comido tres.

—¿Tres? —pregunté, acordándome de que solo podía tomarme una.

—O cuatro —intervino Marga.

—Bueno, mañana me como solo dieciséis. El caso es que voy a lavarme las manos porque no quiero tocar el libro de Cono con las manos llenas de galletas.

—¡Fede, el cuarto de baño está a la izquierda, no a la derecha! —me gritó Marga.

No hice caso y entré en su dormitorio, muy nervioso. Aparté los peluches de encima de la almohada, busqué la carta en mi bolsillo, sin mirarla, y la metí debajo. Volví acelerado a la cocina.

—¿Qué haces con un osito? —me preguntó Sergio.

Sin darme cuenta tenía en la mano uno de los ositos que había sobre la almohada.

—Es que quería preguntarte por qué tienes ositos si ya somos casi mayores —le dije a Marga.

—No te has lavado las manos —contestó ella.

—Es que he pensado que me voy a comer la última galleta. Así mañana me como solo quince y tengo más tiempo para estudiar.

Y al día siguiente lo que quería era que se detuviese el mundo; tener ese mando del mundo y darle al botón de *pause* y

que todos estuviesen paralizados menos yo. Entonces iría a casa de Marga y retiraría la carta, pero no, eso era imposible porque ya la habría leído, qué vergüenza. Podría darle al botón de rebobinar, pero si me pasaba volvería a ser un bebé y no sabría que la «m» con la «a» es «ma». Estaba tan nervioso que cuando mi padre me puso la merienda tiré el vaso de leche y mi madre me puso otro y lo volví a tirar y me dijo que no me ponía ni uno más, que qué me pasaba. No sabía qué hacer y decidí hablar con Isa.

—Hola, Isa.

—Fede, estoy estudiando.

—Pero si estás con el móvil enviando whatsapps a todo el mundo.

—A todo el mundo no, solo a mis amigas.

—Eso es mentira, se lo estás mandando a Lee.

—¿Cómo lo sabes, Fede?

—No lo sabía, pero ahora sí lo sé, he acertado.

—Bueno, ¿qué quieres?

—¿Alguna vez has dejado debajo de la almohada de Lee una carta de amor y después te has arrepentido y querías recuperarla?

—¡¿No me digas que le has puesto una carta de amor a Marga bajo la almohada?!

—Claro que no. Solo quería saber si tú lo habías hecho.

—Pues no.

—Se lo dices todo por whatsapp, ¿no?

Isa se puso roja y me fui del cuarto, nadie me podía ayudar.

22
EL DOMINGO

El domingo fue todavía peor. Cada vez más cerca del lunes, cuando tendría que encontrarme con Marga, sentada en clase detrás de mí. Marga ya habría leído la carta, qué vergüenza. Al levantarme, me lavé la barriga en vez de la cara, le revolví el pelo a mi madre al darle los buenos días y le di un beso a Ronquidos. Desayunando se me cayó doce veces el vaso de leche, me eché tres cucharadas de sal en vez de azúcar y las removí con el tenedor, tiré dos veces los cereales al suelo (Ronquidos se puso contentísimo), y me senté a ver la tele sin darme cuenta de que estaba apagada. Decidí pedirle ayuda a Lee.

—Lee, cuando en Topeka alguien está muy muy muy nervioso, ¿qué hace?

—¿Por haber dejado una carta de amor bajo la almohada de una amiga, por ejemplo?

—Lee, ¿te ha contado algo Isa?

—No, qué va. Lo que yo haría es jugar al baloncesto.

—El baloncesto es muy sano —dijo mi padre que pasaba por el pasillo—. Yo jugaba al baloncesto muy bien.

—¿Jugabas de pelota? —le preguntó Isa desde el cuarto.

—Qué graciosa. Pues no. Cuando yo tenía tu edad no tenía esta barriga tan gorda —se defendió.

—Sí la tenías —gritó mi madre desde el salón.

—¿Quieres que juguemos un rato en la canasta del parque? —propuso Lee.

—¿No te importa?

—Claro que no, me encantaría.

—Oye, Lee, ¿en Estados Unidos todos los que sois de raza negra acabáis jugando en la NBA?

—No, solo algunos, otros se hacen presidentes.

—¿Y los demás?

—Los demás vienen aquí de intercambio.

—¿Te gusta vivir con nosotros, Lee?

—Me encanta.

—¿Y qué es lo que más te gusta y lo que menos? Y no vale decir nada de Isa.

—Lo que más me gusta es la tortilla de patatas que hace tu padre.

—¿Y lo que menos?

—Su chaqueta verde.

Lee empezó a botar el balón, pasándoselo de una mano a otra y por debajo de las piernas, luego dio un salto altísimo y tiró a canasta desde muy lejos. El balón entró limpio.

—Tres puntos —anunció.

Me pasó el balón y casi me caigo de espaldas al cogerlo. Boté, lo cogí con las manos, volví a botar.

—Dobles —dijo Lee.

—No valía. Lo he hecho para ver si te dabas cuenta.

Tiré a canasta y fallé.

—Un punto —dije.

—Pero si has fallado —protestó Lee.

—Era de tres y he fallado por muy poco, así que un punto. Y como protestes te pito técnica.

Lee botó de nuevo y lanzó el balón de espaldas. La pelota casi entra, pero se salió y la cogí justo debajo del aro. Estaba tan cerca que era casi imposible fallar. Tiré y la metí.

—Tres puntos —dije.

—¿Cómo que tres puntos? —protestó Lee—. Si estabas debajo del aro.

—Eso es un efecto óptico por culpa del sol. Estaba a diez metros por lo menos.

—¿Efecto óptico por el sol? Pero si está nublado, Fede.

—Es lo que tiene vivir en la Costa del Sol, que hasta con nubes molesta el sol. Fíjate, incluso por la noche hay veces que deslumbra el sol.

Lee se separó hasta una distancia que superaba la línea del tiro de tres. Lanzó y metió la canasta, pero antes de que la pelota entrase grité:

—¡Cambio! Tres puntos para mí —dije.

—Pero si he tirado yo —se quejó Lee.

—Pero he cambiado.

—¿Cambiado el qué?

—De jugador, es que estoy cansado, Lee. Entonces he cambiado, pero como no hay otros jugadores de mi equipo porque estoy yo solo, pues te he elegido a ti para jugar en mi equipo, así que los tres puntos son de mi equipo.

—¿Y quién juega en mi equipo?

—Nadie, porque ha terminado el partido. Has perdido.

—Fede, estás como una oveja.

23
POR FIN ES LUNES

Cuando mi padre vino a despertarme, le dije que no podía ir al cole, que me dolía mucho la barriga.

—¿Entonces no vas a poder desayunar? —me preguntó.

—Bueno, un poco sí. Una tostada con aceite y un vaso de leche con galletas —respondí.

—No estás malo, Fede. Venga, levántate.

—Es que creo que me he partido la pierna —se me ocurrió.

—¿Cuál?

—Las dos. En la pierna derecha me he partido la tibia y el peroné, y en la pierna izquierda el camembert.

—El camembert no es un hueso, es un queso.

—Pues a mí se me ha partido el camembert, aunque sea un queso.

—Venga, levántate que vas a llegar tarde.

—También el pecho, en el lado derecho, es el corazón.

—Fede, el corazón está en el lado izquierdo.

—¿Ves?, por eso me duele: se me ha movido de sitio.

—El corazón no se mueve de sitio.

—Y se me ha hecho un nudo en el intestino delgado y tengo un nido de avispas en el ombligo. Además, Ronquidos me ha atacado y me ha arrancado una oreja.

—Fede, Ronquidos no muerde, y además tienes las dos orejas.

—¿Entonces me tengo que levantar?

—Sí.

—¿Y si un huracán ha destrozado el cole?

—No.

—¿Un terremoto?

—No.

—¿Me levanto entonces?

—Sí.

—¿De verdad que el camembert es un queso?

—De verdad.

—¿Y tiene agujeros como el queso gruyere?

—No.

—Papi, ¿las grullas comen queso gruyere?

—No.

—¿Porque tiene agujeros?

—No, porque las grullas no comen queso.

—¿Qué comen las grullas?

—Uy, el móvil me está sonando. Pregúntaselo a mamá. ¡Cariño, Fede quiere preguntarte algo!

—Mamá —le pregunté—, ¿qué comen las grullas?

—Creo que gusanos —contestó Lee, que estaba tomándose un cuenco de cereales con leche.

—Pues ten cuidado —le dije—, porque Topeka está en USA, y los de USA sois *usanos*, así que os puede comer una grulla.

—No somos *usanos*, somos estadounidenses.

—Pero las grullas no lo saben. Ten cuidado. Y encima de raza negra. A las grullas les encantan los gusanos oscuros.

—Fede, deja de decir tonterías —dijo mi madre.

—Se lo va a comer una grulla y encima no sabe jugar al baloncesto —dije.

—Hiciste trampa —protestó Lee sonriendo.

—Mamá, ¿para qué sirven los agujeros? —pregunté.

—Fede, es muy temprano para tus preguntas —se quejó Isa.

—¿Los agujeros? —preguntó mi madre.

—Sí. ¿Por qué ponen agujeros en el queso gruyere y en los roscos?

—Venga, desayuna, Fede. Y prepara el pijama para meterlo en la mochila del cole.

—Mamá, si a Lee se lo come una grulla qué hacemos, ¿lo enterramos aquí o lo mandamos por correo a Estados Unidos?

—Fede no se calla ni debajo del agua —rio Isa.

—Como Arquímedes —añadí.

24
TRES TOMATES

Entré en clase mirando al suelo, para no toparme con los ojos de Marga. Cuando me senté en mi sitio, sentí que me disparaban. En la espalda. Iba a morir. Justo en el centro de la espalda una bala intentaba atravesar mi cuerpo una y otra vez, pero como las balas entran sin intentarlo varias veces seguidas, porque las balas no rebotan, al menos en las películas americanas en las que nunca aparece Lee, entonces supe que nadie me disparaba. Era Marga, sentada detrás de mí, que me llamaba hincándome un poco el lápiz.

—Fede —susurró.

—Hola, Marga —conseguí responder, muerto de vergüenza.

—No he conseguido descifrar tu carta —dijo ella.

—Pero si tú sabes mucho inglés. Además, la escribí en español.

—Ya, pero no entiendo lo que quieres decir.

—Es una carta de amor —logré reconocer.

—Pues vaya —dijo Marga.

Yo sí que no entendía nada, ¿cómo que Marga no entendía la carta?

—La he traído, toma, te la devuelvo, no la quiero —me dijo Marga tendiéndome la carta.

Cogí el papel doblado. Lo abrí. Reconocí mi letra, la «m» redonda, la «d» doblada, pero no reconocí el contenido. No podía creerlo. No era la carta que le había escrito a Marga.

—¿Pero esto qué es? —le pregunté.

—Eso apareció debajo de mi almohada el viernes. Es tu letra.

—Pero esto no es lo que yo quería dejar. Esto es la lista de la compra que tuve que hacer antes de ir a tu casa a merendar el viernes. Mi madre me pidió que fuera con Lee a comprar.

—Pues vaya —volvió a decir Marga.

Leí la supuesta carta de amor:

—Media docena de huevos, un kilo de arroz integral, tres tomates para ensalada, medio kilo de plátanos, sal gorda...

—Eso fue lo peor —susurró Marga.

—¿El qué?

—Cuando leí lo de «sal gorda». Creí que me decías que saliera, así, ordenándomelo, sin pedírmelo por favor, y llamándome gorda, cuando el gordo eres tú.

—Qué fallo. Con razón estabas enfadada. Una carta de amor nunca debe empezar diciendo media docena de huevos.

—No. Si es de amor, por lo menos una docena completa, o dos.

—Por si se rompe alguno.

—Claro. Y tres tomates por qué. Se supone que en una cena romántica solo cenan dos, ¿por qué entonces tres tomates? Con dos sería suficiente. A no ser que le digamos a Sergio que se venga, porque es nuestro amigo. Y un kilo de arroz es mucho para los dos.

—Así tendríamos para el día siguiente, Marga.

—Es verdad.

—Pero la despedida es terrible. «Sal gorda». Si al menos pusiese para terminar «azúcar moreno». O «crema de yogur».

—Yo nunca te diría «sal gorda».

—Ni yo a ti.

Entonces yo, como un pirata valiente, haciendo un esfuerzo tremendo, busqué en el bolsillo de atrás y encontré la carta auténtica, la verdadera carta de amor que creía haber dejado bajo la almohada de Marga. La apreté con fuerza, cerré un momento los ojos, respiré hondo, me giré un poco hacia atrás y se la tendí a Marga.

—Toma.

Al rato sentí otro disparo en la espalda, solo uno, y me miré la barriga por si me había atravesado. Pero no, era Marga llamándome otra vez con el lápiz. Me eché hacia atrás y escuché la voz de Marga murmurarme:

—Crema de yogur.

—Dulce de leche —respondí.

25
UN GRIEGO EN LA TELE

Ese lunes, después de clases, me recogió el señor Papa.

Papa es griego. Así, cuando se le llama Papa, no suena a griego, ni a nada, solo a patata, o a Vaticano, pero su apellido completo es Papapodocopoulos, un apellido normal en Grecia. El padre de Papa, el señor Papa, es griego de Grecia, lo normal, y su hijo Papa es griego de España. Es una suerte ser griego de España porque entonces eres de dos sitios, y cuando eres de dos sitios sabes dos idiomas (cuando no se habla el mismo en los dos) y no tienes ese problema que dice la seño Ana que tenemos los que solo somos de un sitio y es que a veces podemos pensar que nuestro sitio es el mejor del mundo.

Papa, el hijo del señor Papa, habla griego en su casa, español en la clase de la seño Ana, inglés en clase del *teacher* Bermúdez y al principio, cuando jugaba al fútbol, hablaba a patadas, y encima, cuando el niño que hacía de árbitro lo expulsaba, Papa decía que no se iba porque en Grecia se permiten las patadas en los partidos. Pero *mister* Canastas (el profe de Educación Física) le preguntó a su padre y este le dijo que eso no era verdad y regañó a su hijo, el pequeño Papa, que ya no pega patadas cuando juega al fútbol y que un día quiso tirar un *penalty* de cabeza y se hizo sangre en la nariz con el suelo. Si el suelo del campo de fútbol fuese de césped, no se habría hecho sangre, solo se le habría llenado la nariz de caracoles, o de lombrices, pero como el suelo de nuestro campo de fútbol es de tierra pues se hizo sangre. *Mister* Canastas le puso un trozo de algodón en cada agujero de la nariz y entonces parecía que tenía dos lombrices albinas. Menos mal que no le vio ninguna grulla porque le habría atacado para comerse las lombrices.

A mi cole, la TELE, van muchos extranjeros: hay niños y niñas de Grecia, Estados Unidos, Senegal, Marruecos, Rusia, Alemania, Holanda, Corea, Argentina, Japón, Brasil, Italia, Portugal, Francia y México, por lo menos. Por eso con el programa *The big family* se aprende mucho. Palabras en otros idiomas, comidas diferentes, costumbres que nos parecen extrañas.

Estaba tan contento que todo me parecía bien. Me encantó la *mousaka*, una comida griega; y hasta no me importó que el señor Papa no parase de hablar durante la comida.

—Fede, ¿conoces a algún griego famoso?

—Sí, a Arquímedes.

—Muy bien, Arquímedes fue muy importante hace más de dos mil años.

—¿Y tenía agujeros?

—Al principio solo los normales, los de la nariz y eso.

—¿Y al final?

—Al final tuvo más, porque al pobre lo mataron con una lanza. Él vivía en Siracusa, una ciudad de Sicilia, una isla que hoy pertenece a Italia pero que en aquella época era de los griegos.

—Sira es chivata.

—¿Cómo?

—Sira acusa. Es chivata —le expliqué, aunque el señor Papa no entendió muy bien.

—Los enemigos, que eran los romanos, atacaron la ciudad y no podían conquistarla porque Arquímedes no paraba de inventar armas nuevas que mataban a los malos.

—Si los hubiera ahogado habría subido el nivel del mar y se habría inundado Siracusa. En los pasillos de las casas habría estrellas de mar.

—Pero al final los enemigos entraron en Siracusa y un soldado romano mató a Arquímedes.

—Le hizo agujeros.

—Sí, con su lanza, Fede. Pero el jefe de los romanos se enfadó mucho con el soldado, porque él había ordenado que nadie matase a Arquímedes.

—¿Le sacaron tarjeta roja al soldado romano?

—No, en las guerras no se sacan tarjetas.

—Pues sería mucho más fácil con tarjetas.

—Tienes razón.

—Arquímedes es un poco gruyere, lo sabía.

—¿Cómo dices?

—Nada nada, cosas mías. Por los agujeros y eso.

En la pared del cuarto de Papa, donde dormí, había una foto de una isla griega de casas blancas con tejados azules, muy bonitas, y soñé que estaba en esa isla y mi madre me llevaba a la playa y allí estaba Marga, esperándome para dar un paseo en una barca con Sergio y con Isa y con Lee, que remaban. Si tuviera el mando a distancia del mundo, le habría dado otra vez al *pause*, esta vez para quedarme siempre en este momento. Lo malo es que si permanezco toda la vida en esa playa

tan bonita me voy a quemar la espalda, y en el sueño mi madre no me había untado crema protectora. Y tampoco me acordaba de haber visto comida. Mi padre no había llevado tortilla, ni una sandía que los domingos dejaba en la orilla para que se enfriase hasta que un día le dijo un vigilante:

—Señor, no se pueden dejar sandías en la orilla.

—¿Porque se la comen los peces y luego las sardinas saben a sandía? —preguntó mi padre.

—Pareces tonto, hijo —le dijo mi madre.

—Mami, ¿por qué le dices hijo si el hijo soy yo? —le pregunté.

Y mi padre se levantó para recoger la sandía, pero ya no estaba, se la había llevado una ola. El vigilante dijo que la marea se la podía llevar hasta alta mar, y que como enfrente de Málaga está África, seguramente al día siguiente un señor de Marruecos que estuviese bañándose con su mujer y sus hijos se encontraría la sandía. A lo mejor pensarían entonces que es un pez globo. Y cuando el lunes siguiente la seño del cole marroquí preguntase por nombres de peces el niño diría sandía, el pobre. Si un pez espada pincha la sandía y después lo pescan, al subirlo al barco creerán los marineros que han pescado una brocheta.

A mí no me gustaría nada estar bañándome y ver llegar una sandía, aunque eso es mejor que una medusa. La medusa debería ser un animal exclusivo de Estados Unidos, porque termina en USA, que son las siglas de Estados Unidos en inglés.

Le pedí al señor Papa algo de postre y le pregunté cómo se decía «por favor» en griego.

—*Paracaló* —me dijo.

—Para calor, el que paso en la playa cuando a mi padre se le olvida la sombrilla.

26
La beca

Estaba acabando el curso y, como to- dos los años por estas fechas, el *teacher* Bermúdez leyó la lista de los alumnos y alumnas a los que se les había concedido una beca para estudiar dos meses en otro país. Les tocó a María, Mario, Marina, Mariana y Mariano. Cuando yo estaba resoplando de alivio porque no me había tocado, dijo:

—Ah, también Fede, que se irá dos meses a los Estados Unidos con una beca.

—¿Con una vaca? Yo no me quiero ir a los Estados Unidos con una vaca —protesté.

—Una vaca no, una beca. Las vacas no pueden ir a los Estados Unidos.

—¿Por qué no, *teacher* Bermúdez? —preguntó Juampe.

—Porque no tienen pasaporte.

—Es que no pueden poner la huella dactilar porque no tienen dedos —explicó Juanmi.

—Y se tendrían que quitar el cencerro al pasar por el detector de metales —añadió Juanlu, que había viajado mucho a Jaén y a Zaragoza.

Yo sentía de nuevo que el corazón se me movía de sitio, que se me hacía más pequeño y me apretaba: yo no quería irme a los Estados Unidos y separarme de Marga y de Sergio. Sentí el tiro en la espalda y no me volví hacia Marga porque me estaban entrando ganas de llorar y si la miraba podía ponerme a llorar del todo.

—Las vacas no saben ponerse el cinturón de seguridad —oí que alguien decía, creo que Juampa.

—Qué suerte, Fede —me susurró Marga.

¿Suerte? Suerte es que creas que te falta solo una galleta por comer y te des cuenta

de que en realidad te faltaban once, o que te despiertes para ir al cole, cansadísimo, y te digan «Pero si hoy es sábado, tío», y puedas seguir durmiendo, o que vayas a hacer la cama y tu padre te diga «Déjalo, Fede, no hagas la cama porque hoy voy a cambiar las sábanas», o que creas que te van a matar de un disparo por la espalda y sea Marga que quiere susurrarte algo. ¿Pero irse dos meses a los Estados Unidos era suerte?, ¿sin Marga?

—*Teacher* Bermúdez, yo no puedo ir a los Estados Unidos —dije.

—¿Por qué, Fede?

—Es que tengo problemas de presión y el médico presionista me dijo que no subiese a un avión porque podría estallarme la cabeza y después sería complicado recomponerla. Además, dejaría todo el pasillo del avión lleno de sangre y de trocitos de cerebro.

—No digas tonterías, Fede. Ya he hablado con tu padre y con tu madre y se han puesto muy contentos. Me han dicho que no hay ningún problema.

Sentí otro disparo por la espalda.

—¿Por qué no quieres ir? —me susurró Marga.

Yo quería decirle que porque quería ir a la playa con ella y con Sergio, pero no me atrevía por si se me saltaban las lágrimas.

—¿Para venir a la playa conmigo? —dijo ella, lo había adivinado.

Moví la cabeza para decirle que sí.

—Pero podemos ir cuando vuelvas. Y desde allí me escribes cartas, ¿vale?

—Sí —conseguí decir, y la miré.

—Pero no me mandes la lista de la compra que entonces no voy a la playa.

—¿Cómo es la lista de la compra en Estados Unidos?

—Es igual, pero en vez de poner tres tomates para ensalada ponen kétchup, y en vez de plátanos ponen donuts. Por cierto, Fede, no me has dicho nada de mis cartas.

—¿Cómo pudiste dejarlas debajo de mi almohada si no estuviste en mi casa?

—Con la ayuda de Isa.

—¿Y si Isa no estaba?

—Entonces ella hablaba con Lee.

27
EL CAMPEONATO

En la última semana de cole se celebró el Campeonato TELE. Son unas competiciones deportivas del cole. Hay un montón de deportes y cada uno se apunta en los que quiera, y si alguien no quiere apuntarse a ninguno (como yo), *mister* Canastas le apunta. A mí me metió en el equipo de atletismo, el de fútbol, el de natación, el de baloncesto y el de judo. En atletismo corrí los 800 metros. Quedé el último, y después Marga y Sergio me acompañaron a la enfermería para que me curaran las heridas de la rodilla, es que me caí.

—He quedado el último porque me he caído —le dije a *mister* Canastas.

—Fede, cuando te caíste ya ibas el último —respondió.

—Porque sabía que me iba a caer.

Cuando Sergio se cae solo hay que curarle la herida de la rodilla de la pierna de carne y hueso. La rodilla de la pierna ortopédica se le puede abollar.

En fútbol me puse de portero y me metieron doce goles. Pero como mi equipo era mucho mejor y estaba Sergio, que con su pierna ortopédica chuta muy fuerte, metimos otros doce goles. Íbamos empate y cuando faltaba un segundo pitaron un *penalty* contra mi equipo.

—Fede, páralo —gritaron todos.

Si no lo paraba, perdíamos el partido. Mariano colocó el balón en el punto de *penalty*, se fue hasta su portería para tomar carrerilla y disparó fortísimo. Como yo no sabía para qué lado tirarme pues no me tiré, y el balón venía por el centro y me dio en la frente. Yo me caí de espaldas pero el balón rebotó y llegó hasta la otra portería y metió gol, así que mi equipo ganó gracias a mí, y por eso me dejaron llevarme la copa a mi casa. Yo nunca nunca había ganado una copa.

En baloncesto tuve mala suerte, porque solo jugué unos segundos, al final, cuando el partido iba empate y yo tiré a canasta y metí, pero me había equivocado de canasta y encesté en la mía, así que mi equipo perdió por mi culpa y no me dejaron llevarme la copita que dan a los que quedan segundos. En natación hubo un problema porque la seño Vikyni no me dejaba participar con manguitos, yo le decía que sabía nadar pero que me sentía más seguro así, pero ella me obligó a quitármelos. Había que nadar dos largos y cuando yo terminé el primer largo todos los demás ya habían llegado al final del segundo. Lo bueno fue que ganó Marga, que nada muy bien, y me dejó su medalla para hacerme una foto con su móvil y se la mandé a Lee por whatsapp.

Fede: Esta medalla me la han dado por ganar en natación.

Lee: Fede, no digas mentiras, que te he visto.

En judo tuve que combatir con Mohamed y le dije que si se dejaba ganar le compraría veinticinco mil kilos de naranjas, pero me dijo que eso era trampa y me hizo una llave que me dejó en el suelo sin saber lo que había pasado.

—Marga, ¿a ti no te importa que sea malote en deportes? —le pregunté.

—Qué va, Fede.

—¿En Estados Unidos vas a apuntarte a béisbol? —me preguntó Sergio.

—No, porque seguro que me dan un pelotazo en la nariz. ¿Cómo se dice «dónde está mi nariz» en inglés?

—*Where is my nose?* ¿Por qué?

—Por si se me cae del pelotazo para que me ayuden a encontrarla.

—Seguro que te la llevan sin que tengas que pedirlo. Son muy amables.

—A lo mejor hay un señor recogenarices.

—Por si acaso no juegues al béisbol.

—Se me da mejor ver la tele.

—En vez de entrenar me escribes una carta.

—Vale.

28
EL ÚLTIMO DÍA

El último día del cole es el más triste de los días alegres. Es alegre porque empiezan las vacaciones y no hay que desayunar con tu madre y tu padre diciéndote que te des prisa, y no hay que madrugar, pero es triste porque hay compañeros a los que no vas a ver en dos meses. El *teacher* Bermúdez se había puesto una chaqueta y había preparado un discurso:

—Habéis terminado el curso y ya tenéis ocho y nueve años. Sois casi hombres y mujeres —comenzó.

—Somos niños y niñas —le interrumpió Marina.

—No me interrumpas, Marina, que estoy nervioso —le temblaba la voz al *tea-*

cher Bermúdez de los nervios y la emoción—. Ahora pasaréis dos meses en la playa...

—Yo no. Paso el verano con mi padre, que es de Sevilla —volvió a interrumpir Marina.

—¿En Sevilla no hay playa? —le preguntó Mariano.

—No, hay un río. Y piscina.

—He dicho que no me interrumpáis, por favor. En este curso hemos aprendido muchos conceptos nuevos y...

—Marina, no vayas a interrumpir de nuevo que te veo —dijo la seño Ana.

—Seño Ana, lo has interrumpido tú —dijo Marina.

—Es verdad. Perdona, Bermu —se disculpó la seño Ana con el *teacher* Bermúdez.

—Se me ha olvidado por dónde iba —dijo el *teacher*.

—Por lo de la piscina —dijo Mario.

—No, eso lo ha dicho Marina —dijo Juampe.

—¿Se hace pie en la piscina de tu padre? —preguntó Sergio.

—Sí, porque está vacía. Es que como llueve muy poco no dejan que se gaste mucha agua y no se pueden llenar las piscinas.

—¿Y por qué no le dices a tu padre que venga él? —propuso Juanma.

—Qué buena idea —respondió Marina.

—Sois casi hombres y mujeres —retomó el discurso el *teacher* Bermúdez.

—Ahora dejadle terminar, por favor —pidió la seño Ana.

—Le has vuelto a interrumpir, seño —dijo Marina.

—Es verdad. Es que, perdona que te lo diga, Bermu, el discurso es larguísimo —le dijo la seño al *teacher*—. No termina nunca.

—Es que no me dejáis acabar.

—¿Tú tienes piscina, *teacher*? —le preguntó Juanan.

—Yo lo que tengo es ganas de acabar mi discurso. He estado toda la noche preparándolo.

—¿Toda la noche solo para decir que ya somos casi hombres y mujeres?, pues vaya —protestó María.

—*Teacher* Bermúdez, ve terminando que yo también quiero hablar —le pidió la seño Ana.

—Pero si no me dejáis —suplicó el *teacher*.

—Gracias por tus palabras —dijo la seño—. A ver, niños, dadle un aplauso al *teacher* Bermúdez por su emotivo discurso.

Todos le dimos un aplauso y él se guardó las 42 hojas que había escrito de su discurso.

—Bueno, voy a ser breve —comenzó la seño Ana—. Termina el curso. Ya sois casi hombres y mujeres.

—Eso ya lo ha dicho —protestó Marga.

—No, eso lo ha dicho el *teacher*.

—Los mayores decís siempre lo mismo —dijo Marina.

—A ver, Marina —la regañó la seño—, a ti nadie te ha interrumpido cuando has dicho que te ibas a bañar en la piscina de tu padre.

—Yo no he dicho eso. No puedo bañarme porque está vacía.

—Bueno, es lo mismo.

—¿Cómo va a ser lo mismo una piscina llena que una vacía? Vamos a votar —propuse—. Que levante la mano quien prefiera una piscina vacía a una llena.

Solo levantó la mano Marina.

—Es que yo la prefiero porque es la de mi padre —explicó.

—Yo quiero decir una cosa de mayores —dije, todos se callaron y me miraron. Me puse de pie—. Ya somos casi hombres y mujeres.

Todos empezaron a reírse. La seño Ana iba a seguir con su discurso de adultos pero llamaron a la puerta y entró la directora, que el último día solía ir a todas las clases a despedirse.

—Buenos días a todos —dijo—. Hoy es el último día y quería deciros que ya sois casi hombres y mujeres.

Todos soltamos una carcajada.

—¿Por qué se ríen, *teacher* Bermúdez? —le preguntó.

—Es que los mayores siempre decimos lo mismo —contestó la seño Ana.

—Eso seréis vosotros, Ana y Bermúdez —se enfadó la directora—. Voy a decir otra cosa: en este curso hemos aprendido muchos conceptos nuevos y…

Todos volvimos a reírnos.

—Es que eso también lo he dicho yo —se disculpó el *teacher*.

—Pues adiós, hala —gritó la directora y salió dando un portazo.

29
EL ÚLTIMO ALMUERZO

Me recogió mi padre y fuimos a casa.

—¿Preparo una tortilla? —propuso.

—No, vamos a comer fuera —dijo mamá—. Cariño, ¿no sabes qué día es hoy?

—Ah, claro, tu cumple, muchas felicidades. —Se levantó mi padre para darle un beso a mi madre.

En realidad mi padre no se acordaba, pero supuso que era el cumple de mamá.

—Es nuestro aniversario de bodas —dijo mamá.

—Eso es lo que he dicho —dijo mi papá.

—Has dicho que era mi cumple —protesto mami.

—¿Eso he dicho? Pues lo que quería decir era aniversario.

—¿Cuántos años hace desde que nos casamos? —le preguntó mamá.

—Doce —respondió mi padre con seguridad.

—¿Doce? —dijo mi madre.

—¿Trece? —intentó mi padre.

—No me lo puedo creer —se enfadó mamá, pero solo un poco.

—¿Diecinueve?

—No se discute delante de los hijos —intervino Isa.

—Ya sois mayores. Sois casi hombres y mujeres —dijo mamá.

—Todos los mayores españoles dicen siempre lo mismo. ¿En Estados Unidos también están todo el día diciendo eso? —le pregunté a Lee.

—Sí, pero lo dicen en inglés.

—¿Las grullas de Estados Unidos pían en inglés? —pregunté.

—Las grullas no pían —dijo Isa.

—Estoy muy contento de haberte conocido —le dijo papi a mami—, aunque

no me acuerde bien de cuánto tiempo hace.

—Yo también.

—No empecéis a abrazaros que tengo hambre —dijo Isa.

—Esperad, para que veáis que sí me he acordado, voy a darte un regalo que he comprado especialmente para ti —le dijo papá a mamá y sacó un paquetito de un bolsillo de la chaqueta verde.

Mamá, emocionada, diciendo «oh», deslió el paquete. Era una corbata. Papá se puso rojo.

—¿Comprado especialmente para mí? —dijo mamá, enfadada—. Esto te lo ha regalado en el trabajo y ni lo has abierto y ahora dices que es para mí.

—¿No te gusta, cariño?

—Anda, guárdate la corbata y vámonos a comer. Además, era mentira, hoy no es el aniversario. Hoy vamos a despedir a Lee, que se va mañana —dijo mamá.

—Lee, te he comprado una corbata —dijo mi padre, cogiéndola otra vez.

—Papi, por favor —dijo Isa.

—Isa, ya eres casi una mujer —dije, Isa se rio.

—¿Y Lee es casi un hombre? —preguntó mami, también riendo.

—Sí, pero antes de que lo sea del todo se lo va a comer una grulla.

30
THE END

—Isa, ¿por qué estás tan contenta?, ¿porque a Lee se lo va a comer una grulla en cuanto llegue a los Estados Unidos? —le pregunté.

—No, porque al final del verano me voy a Topeka de intercambio.

—Lee, ¿tu padre también tiene una chaqueta verde? —le preguntó Isa.

—¿Qué pasa con mi chaqueta verde? —quiso saber papá.

—Bueno, que es un poco verde. Podrías regalársela a Lee de recuerdo —propuso mamá.

—Estooo, no, gracias, no hace falta —se defendió Lee, que se imaginó con la chaqueta verde dentro de muchos años jugando con sus cuatro hijos en la puerta de la granja donde se mecía en una butaca Marga.

—Qué pena que las grullas no coman chaquetas verdes —dije.

—¿Pero qué os pasa con mi chaqueta verde?

—Bueno, es que, es que es un poco verde —dijo Isa.

Mi padre metió la mano en el bolsillo de la chaqueta verde y sacó un sobre blanco. Tenía un sello de los Estados Unidos y me lo tendió.

—Toma, Fede. Te vas mañana y aquí están los datos de la familia y de la ciudad a la que te vas.

Cogí el sobre y en ese momento sonó el teléfono. Mi madre contestó pero era para mí.

—Toma, Fede, es Marga —dijo.

—Hola, Marga.

—Llamaba para recordarte que me mandes la lista de la compra —dijo de broma.

—¿Con kétchup?

—Claro. Y crema de cacahuete.

—Acaban de darme el sobre donde me dicen el nombre de la ciudad.

—¿Cuál es?

—Espera, voy a abrirlo.

La carta estaba en inglés y la leí despacio para entenderla.

—La familia se llama de apellido Sheep —leí en voz alta.

—La familia Oveja —tradujo Lee.

—¿A quién vas a echar más de menos? —preguntó Isa.

—A Ronquidos —dije, y Ronquidos, tumbado en el suelo, movió el rabo.

—¿Y a qué ciudad vas? —preguntó Marga.

—A ver si lo encuentro.

—¿Topeka, Kansas? —preguntó Lee.

—No —lo encontré—. Colorín, Colorado.